La petite souris

et la dent

Texte de Virginie Hanna
Illustrations de Delphine Bodet

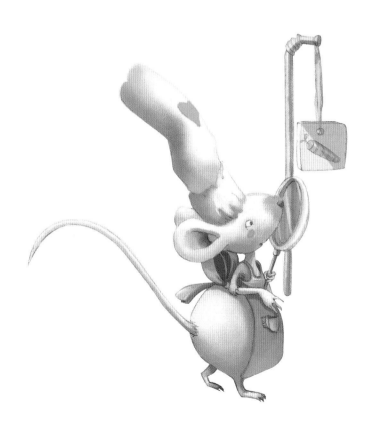

ÉDITIONS FRANCE LOISIRS

Citronnelle, souris des moustaches
jusqu'aux pattes, est pâtissière.
Devant son comptoir, au niveau
du museau des petits, sont placés
des tas de gâteaux et de sucreries.

2

Chaque nuit, Citronnelle a une
mission à accomplir. Avant de partir,
elle glisse une grosse poignée
de bonbons dans son baluchon.

Car Citronnelle a un secret :
elle est experte en dents de lait !

Un soir, elle découvre une dent incroyable près de son paillasson.
D'un œil connaisseur, elle remarque tout de suite que sa forme
est différente de ce qu'elle a l'habitude de voir.
Mais à qui appartient cette dent ?
Elle décide de mener sa petite enquête...

Elle frappe chez Firmin et lui demande s'il n'a pas perdu une dent.
Firmin rigole en croquant dans un gros chou :
« Je n'ai pas ce genre de problème, dit-il en ouvrant la bouche.
– Nom d'une quenotte ! s'étonne Citronnelle. Cette dent inconnue
ne ressemble en rien à celle d'un lapin. Par mes moustaches,
à qui donc appartient cette dent ? »

Elle file chez Cerfeuil, qui l'accueille
avec un large sourire.
« Nom d'une quenotte ! s'étonne Citronnelle.
Cette dent inconnue ne ressemble en rien
à celle d'un écureuil !
Par mes moustaches, à qui alors appartient
cette dent ? »

Elle court frapper à la porte d'à côté.
Nestor bâille tant et si fort que Citronnelle
repart aussitôt, sans qu'il sache pourquoi.
« Nom d'une quenotte ! s'écrie Citronnelle, agacée.
Cette dent inconnue ne ressemble en rien à celle
d'un castor ! Par les frisettes de mes moustaches,
à qui donc peut bien appartenir cette dent ? »

Citronnelle réfléchit.
Si cette dent n'est pas à Firmin le lapin,
ni à Cerfeuil l'écureuil et encore moins
à Nestor le castor, à qui peut-elle bien être ?

« Nom d'une quenotte et d'une question
qui tournicote ! » s'énerve Citronnelle.

Mais elle n'est pas du genre à baisser les pattes.
Elle fait sonner la cloche pour rassembler
les habitants du village.

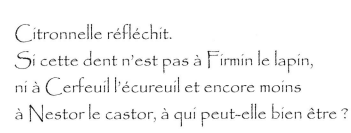

Citronnelle scrute toutes les dentures.
Mais aucune dent ne manque à l'horizon,
ou, en tout cas, pas de cette taille
ni de cette forme-là.

Il ne reste plus que Paillasson le hérisson,
qui ne fait que parler.
Il n'a même pas besoin de faire un grand « ah »
en ouvrant la bouche.
Citronnelle voit bien que ses dents
ne ressemblent en rien à cette dent perdue.

Soudain, Citronnelle dit en tremblotant :
« Nom d'une quenotte !
Il manque quelqu'un à l'appel. Nougat le chat n'est pas là ! »

Citronnelle entend quelqu'un pleurer, caché derrière un buisson.
Elle s'approche et découvre Nougat, les yeux pleins de larmes.
Tout en reniflant, Nougat dit tristement :
« Cette dent est à moi !
J'ai cru que je mangeais une croquette, mais c'était un caramel.
Depuis, j'ai mal, ma gencive est douloureuse ! »

Elle s'approche de Nougat.

Aïe ! Citronnelle essaie de ne pas se laisser impressionner.

Une bouche de chat, c'est affolant quand on est une petite souris.

Elle frotte la gencive de Nougat avec un clou de girofle.

Nougat n'en revient pas et crie :
« Citronnelle, tu m'as sauvé ! Je n'ai plus mal du tout ! »
Il veut lui faire une grande lichette, mais notre petite souris
ne tient pas vraiment à recevoir un bisou... de chat !

Pour la remercier, Nougat décide de transporter chaque soir Citronnelle et toutes ses surprises qui doivent aller sous les oreillers.

Un taxi chat pour la petite souris, on n'a jamais vu ça !

Et une souris dentiste pour les chats, ça non plus, ça n'existe pas !

Mais, foi de Citronnelle, on n'a jamais rien vu de si pratique

qu'un chat et une souris qui font équipe...

Direction générale : Gauthier Auzou
Direction éditoriale : Florence Pierron
Maquette : Annaïs Tassone
Relecture : Anne Placier
Fabrication : Nicolas Legoll

Éditions France Loisirs,
123, boulevard de Grenelle, Paris
N° Éditeur : 80446
ISBN : 978-2-298-07668-4
Dépôt légal : juin 2013

Achevé d'imprimer en Chine par Book Partners China, avril 2015

www.franceloisirs.com